中国工程建设协会标准

预制双层不锈钢烟道及烟囱
技术规程

Technical specification for factory-made double stainless steel flues and chimneys

CECS 415：2015

主编单位：苏州云白环境设备制造有限公司
批准单位：中国工程建设标准化协会
施行日期：2015年12月1日

中国计划出版社

2015 北 京

中国工程建设协会标准
预制双层不锈钢烟道及烟囱
技 术 规 程
CECS 415 : 2015
☆
中国计划出版社出版
网址:www.jhpress.com
地址:北京市西城区木樨地北里甲 11 号国宏大厦 C 座 3 层
邮政编码:100038 电话:(010)63906433(发行部)
新华书店北京发行所发行
廊坊市海涛印刷有限公司印刷

850mm×1168mm 1/32 1.625 印张 37 千字
2015 年 11 月第 1 版 2015 年 11 月第 1 次印刷
印数 1—3080 册
☆
统一书号:1580242·812
定价:20.00 元

中国工程建设标准化协会公告

第220号

关于发布《预制双层不锈钢烟道及烟囱技术规程》的公告

根据中国工程建设标准化协会《关于印发〈2013年第二批工程建设协会标准制订、修订计划〉的通知》（建标协字〔2013〕119号）的要求，由苏州云白环境设备制造有限公司编制的《预制双层不锈钢烟道及烟囱技术规程》，经本协会城镇燃气专业委员会组织审查，现批准发布，编号为CECS 415：2015，自2015年12月1日起施行。

中国工程建设标准化协会

二〇一五年九月二十三日

前　　言

根据中国工程建设标准化协会《关于印发〈2013 年第二批工程建设协会标准制订、修订计划〉的通知》（建标协字〔2013〕119 号）的要求，在广泛调查研究，认真总结实践经验，参考国内外有关标准，并在广泛征求意见的基础上，制定本规程。

本规程共分 7 章，主要内容包括：总则、术语、基本规定、系统设计、安装、检查与调整、验收。

本规程由中国工程建设标准化协会城镇燃气专业委员会归口管理，由苏州云白环境设备制造有限公司（地址：苏州市工业园区杨浦路 98 号，邮政编码：215000 ）负责解释，在使用中如发现需要修改和补充之处，请将意见和资料径寄解释单位。

主编单位： 苏州云白环境设备制造有限公司

参编单位： 南通中航波纹管有限公司
北京航天绿源烟囱设备有限公司
苏州筑誉不锈钢有限公司
中国市政工程华北设计研究总院有限公司

主要起草人： 王　泳　徐志川　吉远宏　李会超　李自权
张　健　渠艳红

主要审查人： 赵自军　张　臻　应援农　李白千　吴　永
殷鹏林　高　勇　吴文庆　孟　悦

目　　次

Contents

1 总　　则

1.0.1 为使燃烧工程建设中对燃烧器废气排放系统与建筑结构等正确安装预制双层不锈钢烟道及烟囱，制定本规程。

1.0.2 本规程适用于各种燃烧器所产生的烟气排放系统中预制式双层不锈钢烟道及烟囱的设计、安装和验收。

1.0.3 预制双层不锈钢烟道及烟囱的安装和设计应符合安全、卫生、环保、节能、经济、适用等基本原则，并应为施工安装、维修检测以及安全使用等提供便利条件。

1.0.4 预制双层不锈钢烟道及烟囱的工程设计、安装、调试、验收、故障处理和保养，除应符合本规程外，尚应符合国家现行有关标准的规定。

2 术　语

2.0.1 预制双层不锈钢烟道　factory-made double stainless steel flue

在工厂预制而成、运输到施工现场安装、将燃烧器的废气导入烟囱的水平安装的双层不锈钢管道，即从烟囱三通口垂直中心轴线至燃烧设备出烟口法兰平面部分统称为烟道，烟道又可由总烟道、支烟道以及相关附件组成，总烟道可以多次变径。简称“烟道”。

2.0.2 预制双层不锈钢烟囱　factory-made double stainless steel chimney

在工厂预制而成、运输到施工现场安装的、沿建筑物指定井道或建筑物主体外立面指定位置垂直安装的用于向高空排放烟气的主体排烟管道部分及其附件的统称。简称“烟囱”。

2.0.3 承重支架　bearing type fixation bracket

分解并转移烟囱整体重量的金属机构，主体由型材制成并和建筑结构联结固定。

2.0.4 稳定支架　stable type fixation bracket

限制烟囱径向晃动的金属机构，主体由型材制成并和建筑结构联结固定。

2.0.5 防晃支架　anti-sway bracket

限制水平烟道晃动的金属机构，主体由型材制成并和建筑结构联结固定。

2.0.6 支吊架　hanging bracket

将水平烟道的重量分段转移给建筑结构的金属构件。

2.0.7 波纹补偿器　ripple compensator

用于预制式双层不锈钢保温烟囱中对因热量产生的膨胀进行吸收的补偿部件。

2.0.8 环箍 hoop steel

用于圆形截面筒节连接时卡住两法兰的专用配套件。

2.0.9 防爆阀 explosion-proof valve

设置在燃烧器出烟口附近的水平支烟道上用于泄爆的装置。

2.0.10 调节阀 regulating valve

设置在水平支烟道上用于调节燃烧器烟气流量的专用装置，有手动、电动和自动三类，是和某支烟道筒节整合在一起的特制附件，电动和自动需要燃烧器控制电源支持。

2.0.11 工况阀 velocity adjuster

设置在水平总烟道前端用于调节烟囱抽力的专用装置，有手动、电动和自动三类，电动和自动需要燃烧器控制电源支持。

2.0.12 防雨裙 storm collar

用于烟囱出屋面处防止雨水进入室内的一种配套专用部件，有矩形、圆形两类。

2.0.13 挡水圈 anti-water ring

用于烟囱出屋面处洞口防水的配套件，有矩形、圆形两类，有用金属材料制作、也有用混凝土浇筑的。

2.0.14 防雨帽 rain cap

设置在烟囱出口上方用于防止雨水浸入烟囱内的特制配套件，分内置式和外置式两大类，外置式又分伞形、百叶形、鼓形等。

2.0.15 检测口 inspection hole

为满足对燃烧器工作状况的各种检测，在水平支烟道适当位置处设置的、可开启和封闭的、能满足检测仪器连接要求的特制配件，一般组合在某筒节的特定位置处。

2.0.16 烟气净化器 flue gas purifier

设置在烟道或烟囱出烟口的用于满足环保要求的烟气净化设备。

3 基本规定

3.1 技术文件

3.1.1 安装前应具有施工图纸、施工方案等相关技术文件，且该类技术文件应由专业人员进行设计，并通过有关程序审批。

3.1.2 图纸中应注明预制管件的代号、排序、数量、路由轴座标、关键控制点及总体要求说明等，其设计应符合现行国家标准《技术制图 图纸幅面和规格》GB/T 14689、《机制制图 图样画法 图线》GB/T 4457.4 的有关规定。

3.2 安装人员和作业安全

3.2.1 安装人员应符合下列规定：

1 安装人员应具有一定的技术技能并经专业培训考核合格；

2 熟悉或基本熟悉烟囱的结构，熟悉轴线图，熟悉土建结构并适应现场环境；

3 能熟练使用各种有效通讯工具，对突发事故的应急呼救信号有良好的反映能力，并能执行各种事故应急处理预案。

3.2.2 安装单位的安全作业管理和安全预防保护措施应按国家现行有关规定执行。

3.3 系统确定原则

3.3.1 系统结构确定的原则应符合下列规定：

1 井道内的垂直烟囱宜选择圆形截面；

2 多根烟囱共井时，宜选择圆形截面和矩形截面间隔布置；

3 多根烟囱共井且呈一字分布时，应避免矩形截面沿墙角布置；

4 烟囱抽力、流速应进行验算和确认，抽力不足时可调整截面积补偿；当现场发生较大变更的，应重新提交计算书和有限元烟气流场分析图；

5 烟囱与其他管道发生冲突时，应遵循烟囱优先、单层让双层、有压让无压、正压让负压、小管让大管的原则；

6 水平烟道应随烟气流向呈逐渐上升趋势，其坡度斜率应为3‰～5‰，且中途不得局部上下弓避让障碍，无法避免时宜做左右绕行；

7 水平烟道可随烟气流向呈梯次上升，不得梯次下降；

8 独立无支撑高度不宜大于2.5倍公称尺寸，三根及以上组合并有相互联结时不宜大于5倍公称尺寸，否则应进行相应的结构计算；

9 不得使用缆风绳增加高度或替代钢架。

3.3.2 管件成形工艺确定的原则应符合下列规定：

1 矩形截面管宜选择共板法兰工艺；

2 圆形截面管宜选择一体成型工艺；

3 直缝焊接宜选择自动母体自熔氩孤焊工艺。

3.3.3 原材料确定的原则应符合现行行业标准《预制双层不锈钢烟道及烟囱》CJ/T 288的有关规定。

3.3.4 附件确定的原则应符合下列规定：

1 应选用预制式双层不锈钢烟囱专门研发的专用附件；

2 附件的材质、厚度、成型工艺等应与预制式双层不锈钢烟囱要求相同。

4 系统设计

4.1 基本参数

4.1.1 烟管内胆尺寸应符合下列规定：

1 圆形截面的内胆内径不宜小于 300mm，当增大内胆内径尺寸时，应以每 50mm 一个等级递增，当内胆内径超过 1000mm 时，应对内胆成型工艺进行加强处理；

2 矩形截面的内胆最小边长不宜小于 300mm，当增大内胆尺寸时，应以每 10mm 一个等级递增，当内胆长边超过 1500mm 时，应对成型工艺进行加强处理；

3 矩形截面内胆的长边边长与短边边长之比不宜大于 5，当大于 5 时，应按特型管工艺进行加强处理和计算。

注：当圆形截面烟管的内胆内径用 D_N 表示、保温层厚度用 C 表示、外壳内径用 D_w 表示，则 $D_w = D_N + 2C$。

4.1.2 内胆和外壳的材质与温度范围对应关系应符合行业标准《预制双层不锈钢烟道及烟囱》CJ/T 288 的有关规定。

4.1.3 内胆和外壳的用材厚度应符合行业标准《预制双层不锈钢烟道及烟囱》CJ/T 288 的有关规定。

4.1.4 保温层厚度应符合下列规定：

1 保温层厚度应根据不同燃烧器的排烟温度和国家现行有关标准对烟囱外表温度的规定，对其进行理论计算后确定；

2 保温层厚度系列应按 25mm、50mm、75mm、100mm 标准厚度取值，特殊情况可根据计算确定厚度，但应按 25mm 的倍数取值确定。

4.1.5 其他参数应符合下列规定：

1 双层不锈钢保温烟道及烟囱应根据其工艺结构特点通过

剖面展开进行面积计算。标准管计算时可乘以综合复杂系数1.15；异径异形管计算时可乘以综合复杂系数1.4；单层标准管不得乘综合复杂系数；单层异径异形管可乘以综合复杂系数1.2。

2 预制式双层不锈钢保温烟道及烟囱计算展开面积时应按保温层中径为计算直径尺寸，即内胆尺寸加一个保温层厚度。

3 异径异形管的展开面积计算应按本条第1、2款执行。

4.2 烟囱和烟道

4.2.1 烟囱结构设计应符合下列规定：

1 烟囱下部应设置清灰装置；

2 烟囱与水平总烟道应采用三通连接，不得采用弯头连接；

3 适当位置应设置承重支架与稳定支架；

4 出屋面处洞口应设置挡水圈；

5 烟囱外壁与挡水圈之间空隙应设置防雨裙；

6 出烟口上部应设置烟气净化器；

7 出烟口上部应设置防雨帽；

8 防雨帽上应设置防雷装置。

4.2.2 烟囱在井道内的留空应符合下列规定：

1 烟囱外壁面与柱面、梁侧面及其他固定设备、局部凸出结构等的表面最小距离不应小于50mm；

2 烟囱外壁与井道内壁面的最小留空不得小于50mm；

3 附壁式烟囱与外墙面的距离宜在系统设计时根据实际情况确定；

4 圆形截面烟囱离墙面距离不应小于50mm；

5 矩形截面烟囱离墙面距离应依据其与墙面重合长度而定，并应便于安装操作、不影响安装质量等，且最大不得超过350mm；

6 多根烟囱共井的高层建筑井道应每隔3层～5层设置防火型检修门一扇；

7 烟囱中心轴线与水平面的垂直度偏差不应大于 1.5‰，且最大不应超过 40mm；

8 烟囱中心轴线的直线度误差不应大于 1.5‰，且最大不应超过 40mm。

4.2.3 烟囱穿屋面应符合下列规定：

1 烟囱穿过屋面时，建筑物屋面孔洞净直径应大于烟囱外径且不应小于 100mm，洞中心与井道中心偏差不应大于 20mm；洞口应设计泛水台，其净高度不应小于 200mm；

2 烟囱穿出屋面的楼板孔应浇筑混凝土挡水圈或预埋金属挡水圈，其净高度不应小于 250mm；混凝土挡水圈厚度不宜大于 50mm；

3 金属挡水圈可采取预埋或用法兰固定在泛水台上，其内径应大于烟囱外径且不应小于 100mm，净高度不应小于 250mm；

4 金属挡水圈的厚度参数宜按下列规定执行：

1）内径或长边小于或等于 500mm 时，不宜小于 5mm；

2）内径或长边大于 500mm 且小于或等于 1000mm 时，不宜小于 8mm；

3）内径或长边大于 1000mm 且小于或等于 1500mm 时，不宜小于 10mm；

4）内径或长边大于 1500mm 以上，不宜小于 12mm。

4.2.4 金属挡水圈埋设应符合下列规定：

1 金属档水圈应与混凝土屋面浇筑成一体；

2 下端口应与楼顶板下平面平齐；

3 金属档水圈应和屋面一起做防水；

4 在安装前应对内壁面进行防腐处理：防锈漆不应少于 2°，漆膜厚度不应小于 50μm，面漆不应少于 2°，漆膜厚度不应小于 50μm。

5 挡水圈应在浇筑屋面时一次完成。

4.2.5 水平烟道结构设计应符合下列规定：

1 水平总烟道中心高度应高于燃烧器出烟口中心；

2 水平总烟道必须随烟气流向呈上升趋势，斜率不得小于3‰；

3 水平烟道外壁面离墙面最小距离不得小于50mm；

4 两水平烟道外壁面最小距离不得小于80mm；

5 水平烟道不得做局部上弓或局部下弓；

6 水平烟道上的附件应在系统设计时确定，并由烟囱制造厂完成制作，不得在现场加工或改动，当需变更时应由烟囱制造厂进行改制或重做；

4.2.6 水平烟道穿墙应符合下列规定：

1 水平烟道管壁为单层结构时应加穿墙套管，套管内径或边长宜大于烟管外径或边长100mm；

2 套管材质可采用碳钢板制作，底漆和面漆分别不应小于2度，也可采用热镀锌钢板制作；

3 烟道外径或长边大于700mm时，套管壁厚不应小于4mm。

4 水平烟道管壁为双层结构时，可不加穿墙套管，但有特别要求时除外。

4.3 烟囱支架

4.3.1 承重支架应符合下列规定：

1 承重支架应采用金属型材制作；

2 承重支架强度应进行计算，并根据计算参数确定型材规格；

3 承重支架结构应采用符合现行国家标准《电弧焊焊接工艺规程》GB/T 19867.1规定的焊接工艺，并应与建筑结构联结成牢固的整体；

4 膨胀螺栓和联结件宜选用热镀锌或不锈钢材料；

5 负压烟囱两承重支架最大距离应按下列规定确定：

1）公称尺寸小于或等于 850mm 时，每 25m 宜设置 1 副；

2）公称尺寸大于 850mm 且小于或等于 1200mm 时，每 20m 宜设置 1 副；

3）公称尺寸大于 1200mm 时应根据计算结果确定。

6 正压烟囱两承重支架最大距离应按下列原则确定：

1）公称尺寸小于或等于 850mm 时，每 20m 宜设置 1 副；

2）公称尺寸大于 850mm 且小于或等于 1200mm 时，每 15m 宜设置 1 副；

3）公称尺寸大于 1200mm 时，应根据计算结果确定。

4.3.2 稳定支架应符合下列规定：

1 稳定支架应采用金属型材制作；

2 稳定支架强度应进行计算，并应根据计算参数确定型材规格；

3 支架结构的焊接工艺应符合本规程第 4.3.1 条第 3 款的规定；

4 稳定支架的距离应根据现场实际需要并结合建筑物楼层高度确定，并宜符合下列规定：

1）层高大于 5m 且小于 8m 时，可每层设一副；

2）层高小于或等于 5m 时，可每 2 层设置一副。

5 膨胀螺栓等宜选用热镀锌或不锈钢材质。

4.3.3 支吊架宜符合下列规定：

1 宜选用热镀锌通丝或专用材料；

2 支吊架规格和间距可按不同截面结构和重量计算确定，也可按下列规定选取：

1）直径或长边大于或等于 500mm 时，间距不宜大于3.5m；

2）直径或长边大于 500mm，且小于或等于 800mm 时，间距不宜大于 3.0m；

3）直径或长边大于 800mm，且小于或等于 1200mm 时，间距不宜大于 2.5m；

4）直径或长边大于1200mm时，间距不宜大于2.0m。

3 支吊架与建筑结构的连接方式应符合国家现行标准的有关规定。

4.3.4 防晃支架应符合下列规定：

1 当水平烟道直线长度超过10m时，应设置防晃支架；

2 防晃支架可设置在其附近普通支吊架的适中位置上，并可替代普通支吊架；

3 防晃支架应使用槽钢或专用型材制作；

4 连接件应采用热镀锌或不锈钢。

4.4 其他附件

4.4.1 防雨帽应符合下列规定：

1 防雨帽的材质应与烟囱内壁主体材质相一致；

2 伞形防雨帽最大外径不应小于2倍烟囱出烟口公称尺寸，当出口为矩形截面时，雨帽各边应大于出烟口内径各边至少350mm以上；

3 圆形截面烟囱出烟口与雨帽下口平面间留空距离宜取0.5倍出烟口公称尺寸；

4 矩形截面烟囱出烟口与雨帽下口平面间留空距离宜取0.2倍出烟口公称尺寸对角线；

5 其他结构形式可遵循本条第1款～第4款的规定进行换算确定。

4.4.2 接闪器应符合下列规定：

1 接闪器宜安装在雨帽顶端，也可安装在雨帽的侧边；

2 接闪器针杆材质宜选择不锈钢管材＋铜针尖，亦可采用碳钢管加铜针尖，并采用热镀锌工艺；

3 接闪器与雨帽的组合形式、针杆直径、长度等各有关参数应结合双层不锈钢保温烟道与烟囱的特点进行确定，并符合国家现行标准的有关规定；

4　当针杆高度垂直于雨帽底口平面时，雨帽底口平面边与针尖构成的角度不应小于45°。

4.4.3　补偿器应符合下列规定：

1　补偿器的材质应与烟囱内壁主体材质相一致，并应符合现行国家标准《金属波纹管膨胀节通用技术条件》GB/T 12777的有关规定；

2　补偿器的选型、组合形式以及其他各项技术参数应按国家现行有关标准的规定确定；

3　补偿器与烟囱的组合方法应符合现行行业标准《预制双层不锈钢烟道及烟囱》CJ/T 288的有关规定。

4.4.4　防雨裙应符合下列规定：

1　防雨裙的材质耐腐蚀性和强度不应低于烟囱外壁主体材质耐腐蚀性和强度；

2　防雨裙上部内径宜大于烟囱外径，下部内径宜大于挡水圈外径50mm；

3　裙腰宽度不宜大于100mm，裙腰内径应大于烟囱外壁外径；

4　防雨裙裙锥角度不宜大于45°，裙摆长度不应小于200mm，内径至少应大于挡水圈外径100mm；

5　安装时，圆截面防雨裙可对称破切，矩形截面应在长边上居中破切；

6　裙腰与烟囱外壁缝隙处应进行打胶防漏处理，不破切时应用喉箍收紧。

4.4.5　检测口应符合下列规定：

1　检测口的材质应与烟囱内壁主体材质一致；

2　检测口位置应布置在出烟口与调节阀之间；

3　检测口的结构设计应符合国家现行有关标准的规定。

4.4.6　清灰装置应符合下列规定：

1　清灰装置至少应由集灰斗、排污阀和连接组件组成；

2 清灰装置的材质应与烟囱本体相一致；

3 清灰装置应布置在垂直烟囱的底部，且清灰底盖或清灰门离地高度不宜大于1400mm；

4 排污阀的技术参数和结构形式应在系统设计时确定，并应设置在集灰斗底部最低点，集灰斗腔体深度宜大于250mm，且不得漏水；

5 排污阀宜选择不锈钢快开阀，阀门规格最小不小于40mm。

4.4.7 调节阀应符合下列规定：

1 调节阀宜选择高温烟道烟囱专用阀件，调节阀的材质应与烟囱本体相一致，筒体结构和连接端口应与烟道本体匹配；

2 调节阀的设置位置距离燃烧器出烟口至少应为1000mm，手柄应靠走道一侧，以方便操作为准；

3 调节阀可组合在支烟道管节内，也可单独作为一节。单独作为一节时，长度不得小于烟道管的公称尺寸，矩形截面长度不得小于短边，且调节阀与烟道管节的连接应保证良好的密封效果；

4 电动调节阀应有电控部分的功能支持，自动控制调节阀还应设置取样器接口；

5 调节阀应符合国家现行有关标准的规定。

4.4.8 工况阀应符合下列规定：

1 工况阀的材质应与烟囱本体相一致，筒体结构和连接端口应与烟道本体匹配；

2 工况阀应设置在水平总烟道最前端的端面上；

3 电动工况阀应有电控部分的功能支持，自动控制工况阀还应设置取样器接口；

4 工况阀应符合国家现行有关标准的规定。

4.4.9 防爆阀应符合下列规定：

1 防爆阀座材质和螺丝螺帽材质应与烟囱内壁本体一致；

2 防爆阀的位置应设置在燃烧器出烟口与调节阀之间，且应避免朝向人行通道、玻璃制品、仪器仪表及易燃易爆物体；

3 防爆阀座与烟管内桶壁应采用焊接工艺连接，也可采用能重复使用的弹性泄爆装置；

4 防爆阀应符合国家现行有关标准的规定。

5 安　装

5.1 安装准备

5.1.1 安装现场应符合下列规定：

1 应设置搬运路线，并设置符合储存条件要求的临时储存点，确保产品到现场后有可靠的安全保障措施；

2 应配备适用的施工设备、工具及附件；

3 应设置必要的原辅材料及配件仓库。

5.1.2 吊装作业应符合下列规定：

1 应设计吊装方案，并准备必要的工具、设备、材料及辅助设施；

2 应对起重设备、固定点、索具等进行试验，试验重量不应低于正常起吊重量的20%，起吊停留时间不应低于15min；

3 应在各环节检查无异常情况下进行正常吊装作业。

5.1.3 作业面应符合下列规定：

1 应检查井道或附着面的结构，且将可能影响施工进度和施工安全的一切障碍或隐患予以清除；

2 应设置安全索、护栏、网架、垫板、跳板等可靠的安全防护设施；

3 应设置醒目的防火、防坠落物等警示标志。

5.1.4 现场安装前至少应进行下列检查：

1 检查待安装烟囱产品的外观，其外表面不应有明显缺陷，管件两端面应无明显变形，且共板法兰连接处贴合面应平直，对接后应无缝隙；

2 各附件应齐全，不应有损伤，发现问题应及时采取补救措施；

3 检查烟囱及其附件的产品尺寸、公差等应与设计文件相一致；

4 技术文件应齐全。

5.2 圆管安装

5.2.1 圆管与圆管的安装(图5.2.1)应符合下列规定：

1 烟管筒节两端法兰表面应确保清洁，平面间隙应一致；

2 套上环箍后，应均匀涂上密封胶及放置耐高温密封垫料进行密封；

3 垂直烟囱安装对接时，应确保每一节筒节为单翻朝上双翻朝下；

4 水平烟道安装时，应保证每节烟管的双翻法兰一端迎向烟气流向；

5 上下两节烟管的外壳，其纵焊缝应保持在一条直线上，外壳上的焊缝宜朝向背面，水平烟道焊缝宜朝向上方；

6 环箍收紧时应边轻敲击边紧螺丝，直至与烟囱筒节内胆外表面紧密贴合为止。

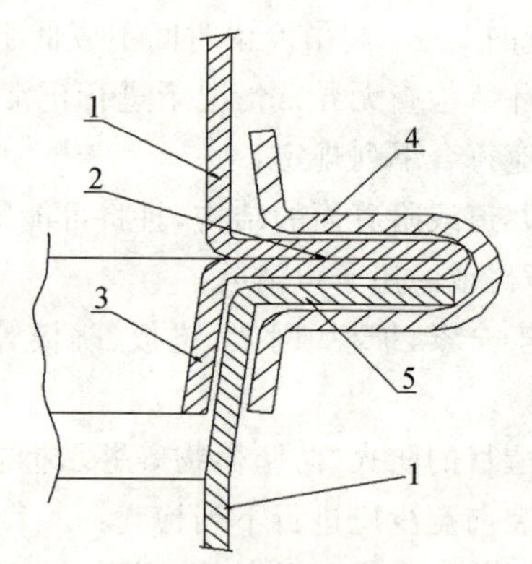

图5.2.1 圆形截面烟囱筒节连接示意

1—内胆管壁；2—双翻法兰端；3—插入段端；4—Ω形卡箍；5—单翻法兰端

5.2.2 接口处保温材料的安装应符合下列规定：

1 保证足够的宽度和厚度；

2 将保温材料填充至两节烟管的接头处，应保证无空洞无缝隙。

5.2.3 腰带的安装应符合下列规定：

1 尺寸应匹配；

2 喉箍螺栓受力应均匀一致；

3 腰带与烟管外壁应结合紧密；

4 室外使用的烟道烟囱，上口内侧与烟囱外壁面之间应涂密封胶，防止雨水进入夹层；

5 安装腰带时不得使用铁器敲击其外表，以防止造成迹痕、凹凸等缺陷。

5.3 矩形管安装

5.3.1 矩形管与矩形管的安装(图 5.3.1)应符合下列规定：

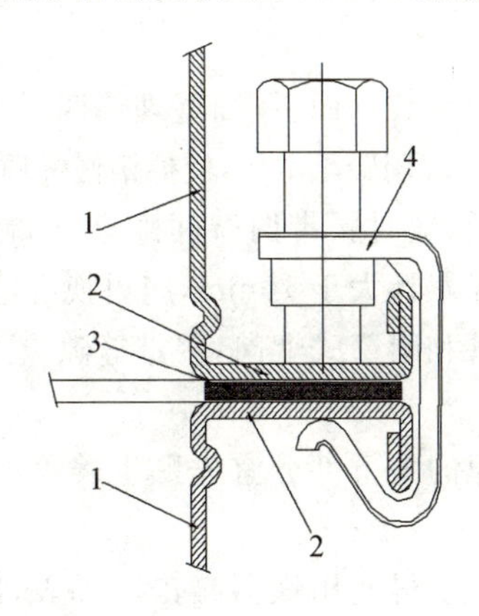

图 5.3.1 矩形截面烟囱筒节连接示意

1—内胆管壁；2—共板法兰；3—密封垫；4—勾码

1 两节烟管对接前，应认真清理法兰表面，确保清洁；

2 应均匀贴上专用耐高温密封垫料；

3 两节烟管应平稳对接、均匀一致的用力拧紧四角位置的螺栓；

4 勾码间距宜控制在 100mm～150mm；先将其预紧在法兰上，调整好间距，逐步轮流拧紧勾码螺栓。紧勾码时应两两对面同时拧紧，确保四面勾码的螺栓拧紧力基本一致；

5 应确保上下两节烟管外壳的包边在同一面，且争取将包边一面调至靠墙一面，保证整体美观；

6 当管件上标有编号时，应依据烟管内胆或外壁上的编号排序进行安装。

5.3.2 接口处保温材料的安装应符合下列规定：

1 保温材料的裁切尺寸应大于两节烟管外壁间的距离尺寸；

2 保温材料填充时，应确保无空洞、无缝隙；

3 保温材料应从法兰处分切成上下两部分填入，以确保法兰和勾码处的密实度。

5.3.3 腰带安装应符合下列规定：

1 腰带安装应选择正确的配套尺寸，确保腰板装好后缝隙均匀一致；

2 应先装三面后装一面，仔细整理使四周入槽后插上插销；

3 敲击插销时，应用轻敲木块，使插销慢慢插入，以防插销变形；

4 插好插销后，应对腰带两端间隙进行调整，使其间隙相等并固定，当两端间隙累计大于10mm，应更换合适宽度腰带；

5 露天水平管和附壁式烟囱，腰带缝隙应涂上满足防水要求的结构胶；

6 涂胶前缝隙的上下部分宜先贴上美纹纸，然后再涂胶，涂完胶宜24h后撕去美纹纸；

7 安装腰带时不得使用铁器敲击其外表，以防止造成痕迹、凹凸等缺陷。

5.3.4 水平烟道安装应符合本规程第4.2.5、4.2.6条的规定。

5.4 支架安装

5.4.1 承重支架的安装(图5.4.1)应符合下列规定：

1 承重支架安装时，两承重支架之间的最大允许距离，不应超过本规程第4.3.1条第5款和第6款中的规定值；

2 承重支架的结构形式和其他相应技术参数由系统设计者确定，安装施工时，不得随意改动；当确需改动时，应有书面变更通知；

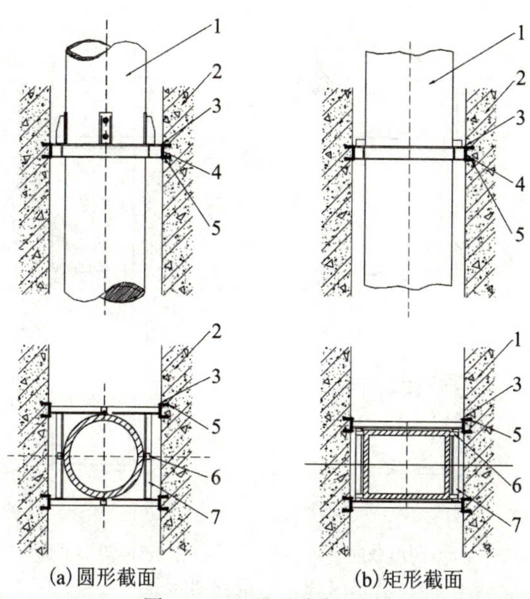

(a)圆形截面　　(b)矩形截面

图 5.4.1　承重支架示意

1—筒体；2—建筑结构；3—腹板；4—焊缝；5—膨胀螺栓；6—支撑耳；7—槽钢井字架

3　承重支架安装时，应根据图纸要求选取相应规格的主、辅材料。现场井洞尺寸和图纸所标尺寸应相符。确定下料尺寸后方可进行下料；

4　紧固件应采用热镀锌工艺，各螺帽拧紧力应均匀一致；

5　支承耳与支架应采用焊接工艺固定。焊接工艺应遵照图纸标注，图纸无标注时，宜按现行国家标准《钢结构焊接规范》GB 50661 的有关规定执行；

6　焊点除渣，表面除锈，防锈漆不应少于 2°，漆膜厚度不应小于 50μm，面漆不应小于 2°，漆膜厚度不应小于 150μm；

7　现场安装时，支架与建筑结构的结合应通过型材与板材进行焊接锚固等形式实现。

5.4.2　稳定支架的安装（图 5.4.2）应符合下列规定：

1　稳定支架的最大允许间隔距离应由系统设计师根据管件直

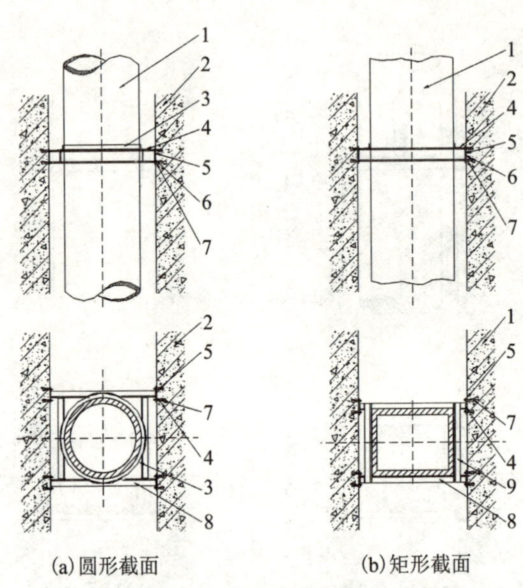

图 5.4.2　稳定支架示意

1—筒体；2—建筑结构；3—角钢圈；4—焊点；5—腹板；
6—焊缝；7—膨胀螺栓；8—槽钢井字架；9—角钢

径大小、现场建筑结构及使用温度等参数经计算而确定的，安装时不得随便改动。当确需改动时，应有重新计算说明书和书面变更通知；

2　稳定支架的结构形式和其他相应技术参数由系统设计师确定，安装施工时不得随意改动。当确需改动时，应有书面变更通知；

3　稳定支架安装时，现场井洞尺寸和图纸所标尺寸应相符，确定下料尺寸后方可下料；

4　现场安装制作时，支架与建筑的结合应通过型材与板材进行锚固和焊接；

5　焊接工艺应遵照图纸标注，图纸无标注时宜按现行国家标准《钢结构焊接规范》GB 50661 的有关规定执行；

6　角钢圈与支架的四个重合点应采用焊接；

7　紧固件应采用热镀锌工艺，各螺帽拧紧力应均匀一致；

8　防腐处理应符合本规程第 5.4.1 条第 6 款的规定。

5.4.3 水平烟道支吊架的安装(图 5.4.3)应符合下列规定:

1 水平烟道吊支架的距离,应根据烟管截面大小确定,宜为 2.0m~3.5m;应按本规程第 4.3.3 条中第 2 款执行;

2 吊杆的固定点沿烟道中心轴线两侧的对称误差值不应超过 15mm,固定点的直线度相对误差不得超过 20mm;

3 当吊支架采用金属膨胀螺栓时,宜将其固定在钢筋混凝土的结构件上,当无钢筋混凝土结构件时,可采用增加金属膨胀螺栓数量或改用穿透螺栓替代,拧紧紧固件,并保证支吊架的可靠性。

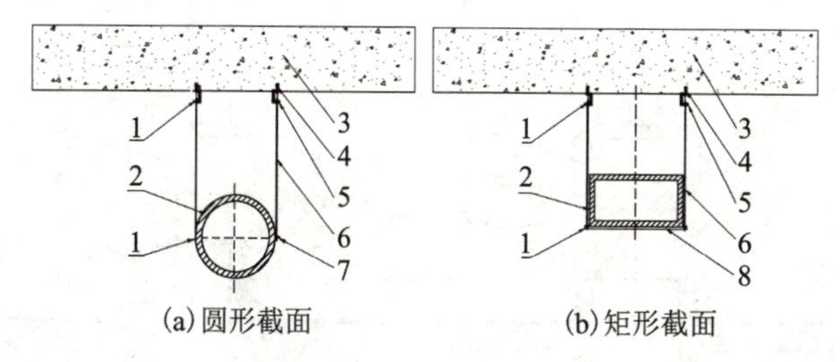

图 5.4.3 水平烟道支吊架

1—吊筋螺帽;2—烟囱本体;3—楼层顶板;4—膨胀螺栓;
5—槽钢段子;6—吊筋;7—抱箍;8—横担

5.4.4 水平烟道防晃支架的安装(图 5.4.4)应符合下列规定:

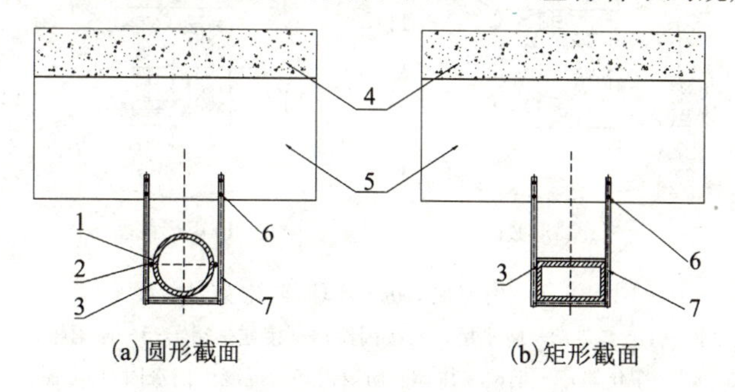

图 5.4.4 水平烟道防晃支架安装示意

1—抱箍;2—固定块;3—烟囱本体;4—楼层顶板;
5—楼层梁;6—膨胀螺栓;7—槽钢防晃支架

1 防晃支架的安装位置宜选择固定在梁侧面；

2 焊接工艺应遵照图纸标注，图纸无标注时宜按我国现行国家标准《钢结构焊接规范》GB 50661 的有关规定执行；

3 防腐处理应符合本规程第 5.4.1 条第 6 款的规定。

5.5 其他附件安装

5.5.1 防雨帽的安装（图 5.5.1）应符合下列规定：

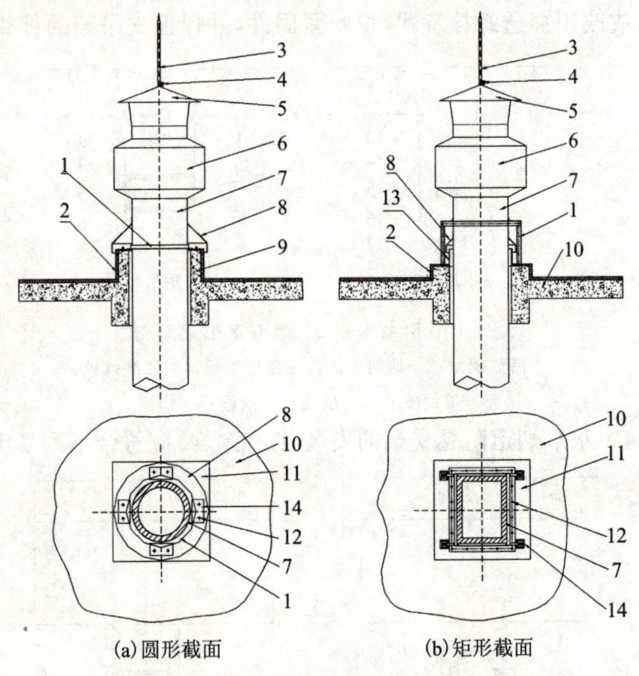

图 5.5.1 出屋面、防水处理、防雨裙安装示意

1—稳定支架；2—防水层；3—接闪器；4—接地排端子；5—防雨帽；6—烟气净化器；7—烟囱本体；8—防雨裙；9—混凝土挡水圈；10—屋面；11—泛水台；12—膨胀螺栓；13—金属挡水圈；14—支架腹板

1 防雨帽与烟囱出烟口节的连接方法，应由制造厂根据设计要求制造好成品，不得在现场加工焊接，不得随意改动；

2 按本规程第 4.4.1 条的规定进行现场安装。

5.5.2 接闪器的安装(图 5.5.1)应符合下列规定：

1 接闪器宜设置在防雨帽顶部，安装工艺应与防雨帽配套；

2 接闪器应由烟囱制造商在出厂时设计制造，不得现场加工；

3 接闪器与建筑物的避雷网之间的连接应符合现行国家标准《建筑物防雷设计规范》GB 50057 的有关规定。

5.5.3 波纹补偿器节的安装(图 5.5.3)应符合下列规定：

1 安装时，波纹补偿器节应确保其处于非压缩状态；

2 安装位置应在两承重支架之间的最上部，即上一承重型固定支架节的下一节；

3 波纹补偿器应由烟囱制造厂组合到烟囱筒节内，不得在现场组装。

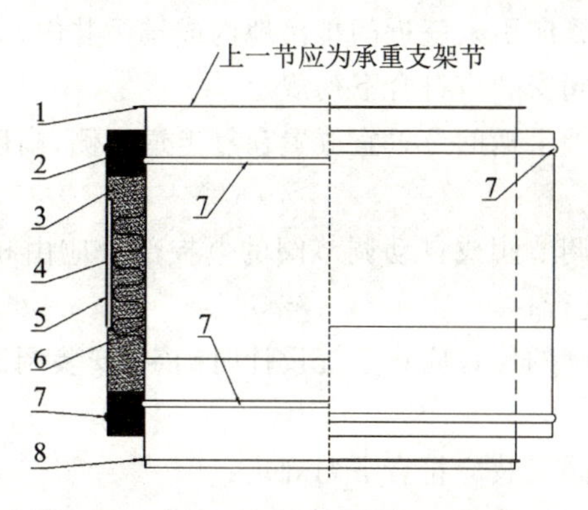

图 5.5.3 波纹补偿器节安装示意图

1—单翻法兰；2—无机发泡定位圈；3—耐高温柔性保温材料；4—波纹管；5—外导套；6—内导套；7—加强筋；8—双翻法兰

5.5.4 防雨裙安装应符合下列规定：

1 安装时应把两半片防雨裙上端紧贴烟管外壁拼成一个整雨裙，将喉箍沿防雨裙腰抱紧；

2 防雨裙和挡水圈的垂直重合尺寸不应大于 150mm；

3 所有缝隙处应打胶做好防水处理；

4 内置式防雨帽的泄水口应保证在防雨裙上方。

5.5.5 检测口的安装应符合下列规定：

1 检测口位置应由系统设计时确定，宜布置在出烟口与调节阀之间；

2 检测口方向应放在靠走道或有空间位置的一侧，以便于操作并保证安全；

3 和其他附件共用烟道管节时，检测口的布置应充分考虑其与其他附件的相对位置，并标明相对角度。

5.5.6 清灰装置安装应符合下列规定：

1 清灰装置应安装在烟囱的最底部；

2 如果底部做支架时，安装时应注意不能影响拆装清灰斗或清灰门；

3 排污管应引入就近的排污地沟或排污井内。

5.5.7 调节阀安装应符合下列规定：

1 调节阀手柄的位置宜放置在靠走道一侧，高度和手柄方向宜便于操作；

2 电动调节阀或自动调节阀的电控部分应由相关专业技术人员或电工进行；

3 调节阀的位置应在系统设计时确定，安装调试完成后不应随意变动。

5.5.8 工况阀安装应符合下列规定：

1 工况阀的位置应在系统设计时确定，安装时不得随意变动；

2 工况阀手柄的位置下方应留有一定空间，以便于上下方便操作；

3 电动工况阀或自动工况阀的电控部分应由相关专业技术人员或电工进行；

4 安装时，应注意电动工况阀或自动工况阀的控制电源应得到燃烧器电控柜的支持。

5.5.9 防爆装置安装应符合下列规定：

1 防爆阀的位置应在系统设计时确定，并由烟囱制造商将阀座设置在烟管相对应的位置上，安装时，应按图示对号入座，且防爆阀口的朝向应避开通道等经常有人出没的地方；

2 防爆膜片应无损伤，爆破膜应无褶皱、穿孔等缺陷，当有损伤时应经鉴定无碍后再使用；

3 安装防爆膜片时，应将出厂标签位置调整到有利于读取的方向，均匀用力压紧螺栓；

4 当选用可重复使用的弹簧式防爆阀时，安装时应采取水平朝上布置。

6 检查与调整

6.1 检 查

6.1.1 检查方法应按下列规定执行：

1 目测法：观察、核对实物与安装图样、技术文件等应符合要求；

2 抽检法：抽取有代表性的部位，核对实物与安装图样、技术文件等应符合要求；

3 专项检查：对关键部件进行专门检查测量，核对实物与安装图样、技术文件等应符合要求。

6.1.2 检查内容应包括下列项目：

1 烟囱烟道本体外表应无损伤及明显缺陷；

2 腰带腰板应平滑和顺、紧密贴合、缝隙一致、搭接牢固、密封有效；构件表面应无损伤和明显变形；

3 各种支吊架、紧固件应牢固，防腐处理应到位，受力应均匀，并应符合本规程第5.4.3条的规定；

4 整体效果应符合本规程第4章和第5章的有关规定。

6.1.3 专项检查应按下列规定执行：

1 水平烟道的斜率、直线度、间距、穿墙等各项应符合本规程第3.3、4.2、4.3和5.4节的有关规定；

2 烟囱中心轴线与水平面垂直度偏差应符合本规程第4.2.2条第7款的规定；

3 烟囱中心轴线直线度偏差应符合本规程第4.2.2条第8款的规定；

4 烟囱其他各项应符合本规程第4.2.1条～第4.2.3条的有关规定。

6.1.4 密封性检查应按下列规定执行：

1 烟囱的密封性、安全性等应符合现行行业标准《预制不锈钢烟道及烟囱》CJ/T 288的有关规定；

2 矩形截面的烟道烟囱宜采用漏光测试法进行检查，圆形截面的烟道烟囱可不做检查；

3 垂直烟囱部分的漏光检查可采取在楼层处留点的方式进行抽检，留点比例宜控制在5%左右，且不应少于3点，抽检合格率应达100%；

4 水平烟道应全部做漏光检查，合格率应达95%以上，其余整改一次合格。

6.1.5 双层不锈钢烟囱的密封性(漏光)检查应符合下列规定：

1 当具有一定空间，且能保证通过预留点进行密封性检查后，将其封死而不影响外保温和腰板施工质量、安全时，双层不锈钢烟囱可进行密封性检查；

2 密封性检查的预留点应设置在楼层处；

3 当现场条件无法满足本条第1款要求时，双层不锈钢烟囱可不做密封性检查。

6.1.6 检查应按下列顺序进行：

1 先主体后附件；

2 先内后外、先下后上、先大后小；

3 先隐蔽部分后外露部分；

4 先垂直部分后水平部分。

6.2 调　　整

6.2.1 当检查发现与设计方案或文字要求不符(含变更)时，应进行调整，直至符合要求为止。

6.2.2 系统调整的目的应符合下列规定：

1 调整方法：调节、修补或更换；

2 应按本规程第6.1.6条规定的顺序进行调整；

3 调整结果应符合本规程第4章和第5章的有关规定。

7 验 收

7.0.1 验收前应做好下列准备：

1 填报报验资料；

2 人员明确分工；

3 相关验收工具和仪具。

7.0.2 验收质量应符合下列规定：

1 系统总体效果应符合本规程第4.1、4.2节的有关规定；

2 烟道烟囱及外观质量应符合本规程第4.2节的有关规定；

3 支架、支吊架应符合本规程第4.3节的有关规定，并用手亲自触摸，不得有晃动；

4 附件等应符合本规程第4.4节的有关规定。

7.0.3 验收应提供下列资料，并存档保存：

1 竣工图纸及工程量报表等；

2 过程资料，如设计变更图、供货验收、签收资料等；

3 其他必要的相关资料。

本规程用词说明

1　为便于在执行本规程条文时区别对待，对要求严格程度不同的用词说明如下：

1）表示很严格，非这样做不可的：

正面词采用“必须”，反面词采用“严禁”；

2）表示严格，在正常情况下均应这样做的：

正面词采用“应”，反面词采用“不应”或“不得”；

3）表示允许稍有选择，在条件许可时首先应这样做的：

正面词采用“宜”，反面词采用“不宜”；

4）表示有选择，在一定条件下可以这样做的，采用“可”。

2　条文中指明应按其他有关标准执行的写法为：“应符合……的规定”或“应按……执行”。

引用标准名录

《建筑物防雷设计规范》GB 50057
《钢结构焊接规范》GB 50661
《机制制图 图样画法 图线》GB/T 4457.4
《金属波纹管膨胀节通用技术条件》GB/T 12777
《技术制图　图纸幅面和规格》GB/T 14689
《电弧焊焊接工艺规程》GB/T 19867.1
《预制双层不锈钢烟道及烟囱》CJ/T 288

中国工程建设协会标准

预制双层不锈钢烟道及烟囱技术规程

CECS 415：2015

条文说明

目　次

1 总　　则

1.0.2 本条规定了本规程的适用范围，涵盖两部分产品，其一为现行行业标准《预制双层不锈钢烟道及烟囱》CJ/T 288 所规定的，其二为行业标准《预制双层不锈钢烟道及烟囱》CJ/T 288 所规定产品之外的不锈钢烟囱。

1.0.3 本条规定了预制双层不锈钢烟道及烟囱安装和设计的基本原则。

1.0.4 本条规定了预制双层不锈钢烟道及烟囱的工程设计、安装、调试、验收等，以及专业人员应按照本规程的规定及国家现行有关标准的规定进行安装等内容。

2 术 语

2.0.1 按其在排烟系统中的位置对烟道进行定义，主要为了便于设计、安装以及施工，其功能主要是为了将燃烧器的废气可控制的导入烟囱的水平安装的排烟管道。烟道由水平总烟道、水平支烟道及附件组成。

总烟道：指自工况阀至烟道连接三通烟囱主径中心轴线交点处，连接所有支烟道并将烟气导入烟囱的水平总烟管，总烟道可以多次变径，末端应装工况调节阀。

支烟道：从燃烧设备出烟口法兰平面至支烟道连接三通总烟道主径中心轴线交点处，支烟道可多根同时和总烟道连接。

附件：指调节阀、工况阀、防爆阀、检测口、仪表接口、支管排水阀等，通常都布置在支烟道上，一般应采用专业烟囱厂家生产的经认证的预制式双层不锈钢保温结构专属配套的产品，确保满足安装连接端口的工艺匹配要求，尤其对密封性、外表整体美观性及系统品质非常关键。可多根水平支烟道公用一根水平总烟道。

2.0.2 烟囱主要指在排烟系统中，烟气自水平烟道出来进入的整个竖直排烟通道及其附件部分。附件包括：排污装置、波纹补偿器、防雨裙、出烟口、防雨帽、接闪器（避雷装置）、支架等，附件一般应采用专业厂家生产的经认证的、与预制式双层不锈钢保温结构专属配套的产品。

2.0.3～2.0.5 按支架的使用功能分别对承重支架、稳定支架和防晃支架进行了定义。

2.0.6 支吊架的功能不同于本规程第2.0.3条、第2.0.4条的支架，其主要用于转移重力，通常由圆钢或通丝制成，某些也用型材制成。

2.0.7 波纹补偿器通常组合在某个标节的内筒体中或单独制作成一个预制式双层不锈钢保温烟囱短节，截面的基本形式分为矩形和圆形，端口的成形同标节，亦可采用承插形式解决热补偿方式。其主要功能是用于预制式双层不锈钢保温烟囱中对因热量产生的膨胀进行吸收的补偿部件。

3 基本规定

3.1 技术文件

3.1.1、3.1.2 本节对安装技术文件的重要性、规范性、审批程序、图纸中应注明预制管件的代号或规格、排序、数量、路由轴座标、关键控制点及总体要求说明等以及设计图的标准化、规范化等相关内容做了基本规定。

3.2 安装人员和作业安全

3.2.1、3.2.2 本节对安装人员的基本技能和必要素养、安装人员的专业培训考核、专业知识面、基本要求、身体条件、适应性;作业安全及注意事项、安全预防保护措施以及安全管理等各方面内容做了基本规定。

3.3 系统确定原则

3.3.1～3.3.4 本节针对系统结构、管件成形工艺、原材料的各有关参数以及有关的附件等规定了最基本的确定原则。

4 系统设计

4.1 基本参数

4.1.1 本条规定了圆形截面和矩形截面烟道烟囱的公称尺寸及公称尺寸系列的基本确定办法、工艺方法、边长比例极限控制等。

4.1.4 本条对烟道烟囱使用温度与保温层厚度的对应关系做了基本规定，确定了保温层标准厚度系列参数，也确定了特殊厚度与标准系列厚度的关系。

其中，作为主要参数的烟气的排烟温度要求，与不同的设计主体有关，需要符合不同的标准要求，如果为燃煤锅炉设计的排烟烟道和烟囱，则排烟温度应符合现行国家标准《燃煤工业锅炉节能监测》GB/T 15317 的相关要求，以此类推，不同燃烧系统有不同的标准要求，为之设计的烟囱所耐温度自然要高于该要求。

4.1.5 本条对烟道烟囱的展开面积计算方法、标准管结构损耗与综合难度系数补偿、异径异形管结构损耗与综合难度系数补偿、单层异径异形管结构损耗与综合难度系数补偿等做了基本规定。异径异形管是指：弯头、三通、变径管节、偏差管节、高差管节、承重支架节、波纹补偿器节、集灰斗节、出烟口节、非圆形和矩形截面的管子、集箱、矩形特型管等。

根据对双层不锈钢复合保温烟道烟囱的用料损耗数据和制作工艺复杂系数的参数统计分析，以双层不锈钢复合保温烟道烟囱与单层不锈钢烟道烟囱比较，确定双层不锈钢复合保温烟道烟囱标节的综合难度系数为 1.15；异径异形的不锈钢复合保温烟道烟囱的综合难度系数为 1.40，而单层不锈钢烟道烟囱的异径异形综合难度系数为 1.20。

4.3 烟囱支架

4.3.1 本条对不同截面和不同结构形式的烟囱与相应承重支架的匹配、最大允许间隔、如何选取和设计等相关内容做出了基本规定。

4.3.2 本条对不同截面和不同结构形式的烟囱与相应稳定支架的匹配、最大间隔,如何选取和设计等相关内容做出了基本规定。

4.3.3 本条对水平烟道支吊架安全可靠性、间距等相关内容做出了基本规定。但不同情况的支吊架与建筑结构的连接应符合不同的标准,包括中间的连接件,如中间连接件与建筑结构的连接则应符合现行国家标准《管道支吊架 第3部分:中间连接件和建筑结构连接件》GB/T 17116.3 的有关规定。

4.3.4 本条对防晃支架的设置、基本要求、用材、安装位置、防腐等相关内容做出了基本规定。

4.4 其他附件

4.4.1 本条对防雨帽的类型、规格、型号、材质以及其大小高低与烟囱截面的对应关系、制作工艺、安装工艺等相关内容做了基本规定。

4.4.3 本条对温度补偿器的设置、种类、材质、结构、制作工艺、安装位置等各相关内容做了基本规定。其中与设计相关的补偿器的选型、组合形式,以及其他各项技术参数在国家现行标准《烟囱设计规范》GB 50051、《烟囱工程施工及验收规范》GB 50078、《工业锅炉烟箱、钢制烟囱技术条件》JB/T 1621 中都有相关规定。

4.4.5 本条对检测口的材质、结构、标准、制作、安装等相关内容做了基本规定。其中检测口的结构设计要求在国家现行标准《烟囱设计规范》GB 50051、《烟囱工程施工验收规范》GB 50078、《工业锅炉烟箱、钢制烟囱技术条件》JB/T 1621 中都有相关规定。不同的设计情况执行不同的标准要求。

4.4.7 本条对调节阀的种类、材质、结构、规格、制作、安装等相关内容等做了基本规定。不同的调节阀根据功能和结构有不同的标准要求，如气动的调节阀标准为《气动调节阀》GB/T 4213，自力式的调节阀又分温度调节阀和压力调节阀，其标准分别为《自力式温度调节阀》JB/T 11048、《自力式压力调节阀》JB/T 11049。

4.4.8 本条对工况阀的材质、结构、功能、安装等相关内容做了基本规定。一般工况阀相关设置要求在一些工程标准中都有所规定，如国家现行标准《烟囱设计规范》GB 50051、《烟囱工程施工及验收规范》GB 50078、《工业锅炉烟箱、钢制烟囱技术条件》JB/T 1621 等。

4.4.9 本条对防爆阀的材质、规格、结构、安装等相关内容做了基本规定。有关防爆阀的规定也多在工程标准中都有所规定，如国家现行标准《烟囱设计规范》GB 50051、《烟囱工程施工验收规范》GB 50078、《工业锅炉烟箱、钢制烟囱技术条件》JB/T 1621 等。

6　检查与调整

6.1　检　　查

6.1.4　由于圆形截面管子每节端口是单双法兰套插加环箍结构，漏光检测无法实现，故免做。而矩形截面的垂直烟囱一般在井道内空间有限，加上法兰处有保温和腰板，如全做漏光就要留空保温和腰板不做，但井道垂直高度较大，空间有限，后做保温和腰板不但质量难以保证，而且还很危险，故只能在楼层处有条件的地方做局部抽检。

6.1.5　测试密封性所设的预留点：因为双层不锈钢保温烟囱一般是设置在垂直井道内，安装时是采取倒装法（即两层楼面之间从最上一节吊起，依次放入下一节，连接工作总是在楼面处进行），因此保温和腰板安装工艺要一次完成，否则要到空中做，不但没有操作空间、质量难以保证，而且安全不能保障。尽管双层不锈钢保温烟囱在设计时安装工艺保证了气密性，但现场监理部门历行检查不可免除，因此，在楼层处最近法兰连接的地方暂不进行保温、不装腰板，此称为预留点。